亞瑟小子
頑固大門牙

文·圖／馬可·布朗

譯／蔡青恩

遠流出版公司

亞瑟的奇蹟

畢恆達

（國立台灣大學建築與城鄉研究所副教授）

一位深情的父親，夜晚在床前說故事給兒子聽，造就了日後亞瑟的奇蹟。作者馬可·布朗(Marc Brown)的兒子托倫(Tolon)，要求爸爸在睡前說一個怪物的故事；他順著英文字母ABC的次序開始想，一個名叫亞瑟（Arthur）的食蟻獸（aardvark）馬上躍入腦海。1976年《我愛大鼻子》出版，開啟了〈亞瑟小子〉繪本系列的傳奇。

風靡全球的兒童麻吉

1996年，亞瑟的故事搬上美國公共電視螢幕，成為家喻戶曉的卡通人物，是公共電視最受歡迎的招牌節目之一，更創下五度榮獲美國電視卡通「艾美獎」的殊榮。2002年在台灣「迪士尼頻道」播出期間，也極受歡迎。至今，〈亞瑟小子〉相關系列圖書，已出版約160本，在美國銷售超過6千萬冊，並多次榮登《紐約時報》暢銷書榜首以及多項最佳童書獎。

亞瑟的故事，基本上處理幼稚園及小學的兒童在成長過程中幾乎都會遭遇的各種問題，從掉牙齒、睡過頭、戴眼鏡、養寵物，到電腦故障、參加夏令營等。作者馬可以簡單的文字與圖像、一貫同理而熱情的態度，告訴大小讀者：「和別人不一樣，是一件OK的事情。」他不直接正面說教，但是讀者在仔細閱讀的過程中，自然會發現「忠於自己」與「接受差異」的訊息。

改變中的亞瑟容貌

閱讀整個〈亞瑟小子〉系列繪本的讀者，必然會發現亞瑟的容貌有了很大的轉變，到後來甚至已看不出食蟻獸的影子。這就如同史努比的形象，也隨著時間成長而改變。為了要說更多亞瑟的故事，需要繪製更多不同的表情，也為了吸引更多的讀者，馬可在不知不覺中緩慢改變了亞瑟的造型。

習慣收看亞瑟卡通的讀者，也許會對早期繪本中的亞瑟造型感到不習慣；小朋友也許會感到困惑；有的大人也許會生氣。不過，回到亞瑟系列的第一本《我愛大鼻子》，馬可在書中其實已經說了：「對亞瑟來說，還有許多比他的鼻子更重要的東西呢！」

畢老師看《頑固大門牙》

〈亞瑟小子〉系列的前三本有著類似的主題與結構：一個在成長過程中不停遭遇難題的亞瑟、始終在身旁給予關愛與支持的父母，以及先是嘲笑繼而接納亞瑟的同學們；而故事中亞瑟都有一個歷經自我懷疑，但在努力之後自我肯定的過程。亞瑟的遭遇最先從鼻子的長相到是否要戴眼鏡，而這回《頑固大門牙》要處理的是，當所有同學的乳牙都已經開始掉落，但亞瑟卻還沒有時，他該怎麼辦？

在小孩眼裡，乳牙掉落是重要的成長標記，也成為他們生活與遊戲的重心之一。因為掉牙齒，讓亞瑟的同學法蘭西可以施展許多小把戲，或是扮演牙仙子，玩起掉牙齒的遊戲。而乳牙完整的亞瑟，自然被排除在遊戲的行列之外，並且遭同學嘲笑為乳臭未乾的小寶寶。因為和同學不一樣讓他感到困窘，於是他嘗試磨牙、使用牙線、吃牛排，好讓已經鬆動的乳牙可以盡快掉下來。同學的各種古怪建議就更有趣了，有人送上胡蘿蔔給亞瑟當作午餐、有人教他如何用葡萄乾來佯裝牙齒的空洞，還有同學設計了專門拔牙的機器……

作者馬可的繪本，雖然不走寫實、精緻與華麗的路線，但是在簡單的線條裡總是充滿細節。在《我愛大鼻子》、《眼鏡酷旋風》與《頑固大門牙》中，分別可以看到鼻科診所、眼科驗光室以及牙科診所的空間布置與設備；也可以看到女生廁所的塗鴉或是發現亞瑟的早餐是土司、煎蛋與臘腸等等。而眼尖的讀者還會發現，亞瑟的教室裡可以養寵物、老師們會使用影片進行教學；下課時，學生可以在充滿自然的環境裡遊戲。

書中提到亞瑟在浴室裡照鏡子那一幕也很精彩。我們可以從圖中知道亞瑟家只有一間衛浴，而且亞瑟真的照了好久的鏡子，因為他爸爸在門外讀小說、媽媽等到直打哈欠、妹妹更是等得不耐煩而面露怨色……這些都是閱讀馬可繪本時，除了文字之外的一大趣味喔！

亞瑟終於有一顆鬆動的牙齒了！
他用舌頭去頂它，
他用手指去碰它，
他隨時隨地都在搖晃它。

有天下午上數學課時，亞瑟又在搖晃他的寶貝門牙。這時，他突然聽到一聲尖叫。他看到法蘭西跳了起來。

「我掉了一顆牙齒在桌上！」法蘭西大喊。

馬可老師問大家：「你們有誰已經開始掉乳牙啦？」

每個人都舉起手，除了亞瑟。

亞瑟回到家，他不想喝牛奶或吃餅乾。

媽媽問他：「怎麼啦，亞瑟？」

亞瑟說：「我們班只剩我一個人一顆乳牙都沒掉！」

「別擔心，」滴答妹說：「你的牙齒
很快就會掉光光，然後，你就可以跟
索拉奶奶一樣戴假牙了！」

亞瑟拜託爸爸幫他準備特別的晚餐，
有大塊牛排、整條玉米和硬花生餅。
爸爸說：「我就不信，這一小顆牙齒
，竟然這麼頑強！」

第二天，有一堂分享課，瑪菲帶了一罐自己的牙齒來班上。

她說：「我只要蒐集一顆掉下來的牙齒，就會有一百塊。我爸給我五十，我媽也給我五十。我把錢都存到銀行生利息，等著看它們變成兩倍！」

法蘭西說：「我跟你不一樣，我都把錢花光光。」

接下來，全班一起去觀賞影片，片名叫做「噁心蛀牙怪」。

影片開始是旁白：「每個人在四歲到七歲之間，嘴巴裡的乳牙會開始掉落。」

「哈！每個人都會掉，只有亞瑟不會！」法蘭西大聲說，全班都跟著大笑。

亞瑟縮在座位上。他用盡所有力氣去搖晃那顆寶貝門牙。

到了吃飯時間，法蘭西開始賣弄新把戲。「你們看！」她說：「我的上下兩排牙齒緊緊閉著，還是能用吸管喝東西喔。我不但能喝東西，還能把水噴出去。來，我們來排隊比賽，看誰噴最遠。亞瑟不用來，滿嘴乳牙的小寶寶是不會噴水的！」

又過了一天， 亞瑟真的覺得這顆搖晃的
牙齒是不會掉了。
同學們都很想幫他。
霸子拿了幾條生蘿蔔
給亞瑟當午餐。

蘇艾倫教亞瑟把葡萄乾塞在牙齒前面， 這樣
看起來就會像掉了幾顆牙。

布萊恩甚至發明一種機器。
「這是拔牙機，」布萊恩說：
「你只要把頭放在這裡
就行了！」

連班恩都想幫忙。他說：
「給我一秒鐘，我就可以幫你搞定它！」

那天晚上，亞瑟在廁所裡待了超久，一直在照鏡子。

第二天，亞瑟一大早就起床，繼續搖他那顆門牙。

「你們看，」他跑去告訴爸媽說：「我這顆門牙現在搖得好厲害！」

「好了好了，」媽媽說：「我看你需要專業的人來幫忙，我帶你去看牙醫。今天就去！」

「你要去看牙醫？」法蘭西問。
「喔，同學，我真替你難過！」

在索吉歐醫生的牙科診所裡，好多人在排隊等著看牙。

「真對不起，」護士小姐說：「今天時間有點耽擱，你先坐一下。」

媽媽說：「亞瑟你還真聰明，知道要帶書來看！」

終於輪到亞瑟了。

「真希望所有病人在等候時，都能像你這麼乖，」索吉歐醫生說：「亞瑟，你今年幾歲了？」

「七歲，」亞瑟回答：「可是我的乳牙一顆都沒掉！」

「哦，我到八歲才掉第一顆牙呢。」

醫生說：「每一個人的情況都不同。」

「真的嗎？」亞瑟說。

醫生檢查亞瑟那顆鬆動的牙，然後說：「這顆很快會掉，再等一下下就好！」

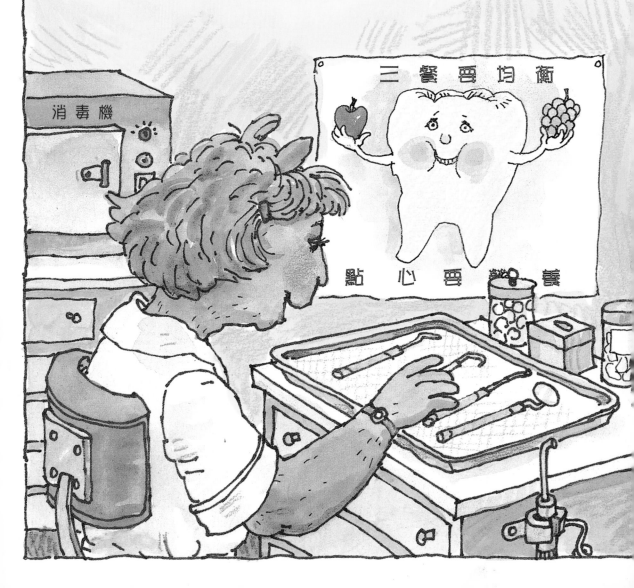

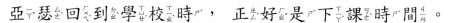

亞瑟回到學校時，正好是下課時間。
「什麼？你的乳牙都還在？」法蘭西說。
「那你不能過來玩。我現在是牙仙子，只有掉過牙的人才可以玩！」

「如果你是牙仙子，」亞瑟說：「那
我情願留著我全部的牙齒！我可以慢
慢等它掉。」
他轉過頭去看另一邊的壘球賽。

「誰被我碰到，」法蘭西說：「就
會掉一顆牙喔。」
她又揮舞著雙臂說：「掉最多顆牙
的人就贏了！」

法蘭西咻的一一轉身，碰到了霸子。

她又咻一個飛旋，碰到了蘇艾倫。

她愈轉愈快，結果滑了一跤撞到亞瑟。
「不好意思，亞瑟。」法蘭西說：「可是我說過，滿嘴乳牙的小寶寶不能玩。」

亞瑟把眼鏡撿起來。

「沒關係，」他說：「這大概是妳對我最好的一次了！」

法蘭西問：「咦？什麼意思？」

亞瑟咧開嘴，露「齒」一笑。

▌作者簡介▐

馬可·布朗(Marc Brown)，1946年生，為美國知名的暢銷
童書創作者。馬可兼作家、畫家與教育專家於一身，其作品數量豐
富且獲獎無數。1976年因創作出版〈亞瑟小子〉系列首本《我愛
大鼻子》 而一舉成名，此後三十年陸續出版百餘種〈亞瑟小子〉
相關書籍、卡通影集與週邊產品，亞瑟卡通並五度獲得艾美獎肯定
。其筆下的亞瑟及其家人朋友，早已是美國家喻戶曉的卡通人物。

除〈亞瑟小子〉之外，馬可還有許多優秀的繪本作品；同時並與
妻子蘿瑞·布朗共同創作〈生化超人兔〉、〈恐龍家庭教養繪本〉
（遠流出版）等膾炙人口的童書系列。馬可與家人目前居住在美國麻薩諸塞州。他平常不僅巡
迴各地為孩子演講，更熱心的為家長解答許多與孩子相處及教養方面的問題，至今也仍不斷創
作出新的繪本與卡通。

▌策劃者簡介▐

畢恆達，四年級後段班，國立台灣大學土木工程學研究所碩
士，美國紐約市立大學環境心理學博士，現任國立台灣大學建築與
城鄉研究所副教授。長期關心弱勢族群、空間與環境、性別與兒童
等特殊議題。

童年成長在貧窮的鄉下，沒有見過兒童繪本，也沒有電視。除了
教科書之外，印象最深刻的是一本雜誌——《小學生》，裡面有恐
龍的故事、描寫秦良玉的漫畫。它以及中廣的「小說選播」陪伴度
過了童年。長大以後，學術理論讀得愈多，卻愈來愈喜歡兒童繪本
的純真、美麗與充滿想像。如果能夠把所學轉化成為繪本與兒童一起分享、成長，那會是一件
很幸福的事情。著有《教授為什麼沒告訴我？》、《空間就是權力》、《空間就是性別》、《
GQ男人在發燒》等書，並譯有《橘色奇蹟》繪本。

▌譯者簡介▐

蔡青恩，台大牙醫系畢業，美國約翰霍普金斯大學公共衛生碩士。熱愛自然與閱讀，對
小時候看過的《福爾摩斯》和《十萬個為什麼》依然記憶猶新；如今樂於帶領現代小朋友推開
認識科學的那一扇窗。譯作有〈魔法校車〉、〈魔數小子〉與〈恐龍家庭教養繪本〉等系列書
籍（以上皆為遠流出版）。

■ 亞瑟小子 3 ■

頑固大門牙

文‧圖……馬可‧布朗

譯……蔡青恩

副總編輯……王明雪　　執行編輯……林孜懃

美術設計……陳春惠　　美術統籌……黃崑謀

發行人……王榮文

出版發行……遠流出版事業股份有限公司　台北市南昌路2段81號6樓

電話：(02) 2392-6899　傳真：(02) 2392-6658　郵撥：0189456-1

著作權顧問……蕭雄淋律師　法律顧問……王秀哲律師‧董安丹律師

輸出印刷……中原造像股份有限公司

□2007年4月1日　初版一刷

行政院新聞局局版臺業字第1295號

定價……新台幣220元（缺頁或破損的書，請寄回更換）

有著作權　侵害必究 Printed in Taiwan

ISBN 978-957-32-6005-9

遠流博識網 http://www.ylib.com　E-mail:ylib@ylib.com

遠流童書不落國 http://blog.ebook.com.tw/sss

【亞瑟小子】姊妹作

全方位兒童身心靈繪本經典

涵蓋生命教育、環境教育、情緒管理、健康管理、人際關係的最佳啟蒙書

★美國《紐約時報》傑出圖書獎

★美國《學校圖書館期刊》年度最佳選書

★美國《出版者週刊》年度最佳童書獎

★美國圖書銷售協會精選年度最佳圖書

★亞馬遜網路書店五顆星最高評價

《恐龍上天堂》

死亡是生命的必然，但是經驗無法言說。這本書直接從生活情境中，提出許多對話的角度和思索的方向，並巧妙地以擬人化的恐龍家族，在讀者與議題間保留了適當的距離。

 知名作家、兒童閱讀推動者

《恐龍交朋友》

會交朋友的人，一個我就成了一群的我，但朋友間的關係，常常複雜難解。本書提供了交朋友和做朋友的方法，也就是把複雜變簡單的竅門；知道了，學會了，真的就「四海之內皆兄弟也」！

 兒童文學教授、繪本專家

《恐龍離婚記》

從兒童觀點談離婚這難以啟口的話題，作者以同理心娓娓道來這感傷艱鉅的過程，引領焦慮哀傷的孩子看到新生活的其他希望。

 兒童心智科醫師

《恐龍愛自己》

三個女兒是我最窩心的寶貝。從小開始，教導她們如何從頭到腳、由裡到外全方位的愛惜自己，一直是我的重要課題。這本美國童書大師的精采繪本，將是師長與兒童最好的身心靈健康幫手。

 影視廣播名人

《恐龍救地球》

正確的環保行為，愈早讓小孩熟悉，就愈能形成一生固著的習慣。這本圖畫書，把有效的環保知識融入兒童生活的情境中，寓教於畫，簡明易行，是本很好的兒童環保科普書！

曹志朗 前中研院副院長